TROUVE LA CLÉ, MARIE-P!

Catalogage avant publication de Bibliothèque et Archives nationales du Québec et Bibliothèque et Archives Canada

Latulippe, Martine, 1971-

    Trouve la clé, Marie-P!

    (Les aventures de Marie-P ; 10)
    Pour enfants de 7 ans et plus.

    ISBN 978-2-89591-254-5

    I. Boulanger, Fabrice. II. Titre. III. Collection : Latulippe, Martine, 1971-. Aventures de Marie-P ; 10.

PS8573.A781T76 2015 jC843'.54   C2015-940006-6
PS9573.A781T76 2015

Révision et correction : Annie Pronovost

Tous droits réservés
Dépôts légaux : 3ᵉ trimestre 2015
Bibliothèque nationale du Québec
Bibliothèque nationale du Canada
ISBN : 978-2-89591-254-5

© 2015 Les éditions FouLire inc.
4339, rue des Bécassines
Québec (Québec) G1G 1V5
CANADA
Téléphone : 418 628-4029
Sans frais depuis l'Amérique du Nord : 1 877 628-4029
Télécopie : 418 628-4801
info@foulire.com

Les éditions FouLire reconnaissent l'aide financière du gouvernement du Canada par l'entremise du Fonds du livre du Canada pour leurs activités d'édition.

Elles remercient la Société de développement des entreprises culturelles du Québec (SODEC) pour son aide à l'édition et à la promotion.

Elles remercient également le Conseil des arts du Canada de l'aide accordée à leur programme de publication.

Gouvernement du Québec – Programme de crédit d'impôt pour l'édition de livres – gestion SODEC.

IMPRIMÉ AU CANADA/PRINTED IN CANADA

TROUVE LA CLÉ, MARIE-P !

MARTINE LATULIPPE

Illustrations : Fabrice Boulanger

MARIE-P TE PROPOSE UNE MISSION!

Développe tes qualités d'observation pour devenir détective, comme Marie-P! Cinq lettres mystérieuses se sont glissées dans certaines illustrations du roman marquées par une loupe 🔍. Cherche ces lettres, qui n'ont pas leur place dans le décor! Une fois que tu les auras toutes trouvées, remets-les en ordre pour former un mot. Ce mot te donnera un indice pour aider Marie-P à résoudre le mystère de cette enquête.

Note les lettres et vérifie ta réponse en participant au jeu « Mon enquête ! », sur www.mariepdetective.ca.

AVANT DE COMMENCER MA NOUVELLE AVENTURE

J e me nomme Marie-Paillette... mais tout le monde m'appelle Marie-P! Mes parents m'ont donné ce prénom étrange à cause de mes yeux brillants. J'ai deux frères: un grand adolescent tannant, Victor-Étienne, et un bébé adorable comme tout, Charles-Brillant, que j'appelle Charles-B.

Depuis que j'ai découvert dans le grenier une loupe et un chapeau ayant appartenu à mon grand-père, j'ai décidé de devenir détective, comme lui! Je note toutes mes aventures dans mon carnet, Nota Bene, affectueusement surnommé NB.

Je suis prête pour ma prochaine enquête. Toi aussi?

1

UNE TROUVAILLE

Tu ne devineras jamais ce qui vient de m'arriver, NB! J'ai fait une découverte incroyable! Bon, pour être tout à fait honnête, je ne sais pas encore de quoi il s'agit, mais je sens que ce sera grandiose. Quoi, tu trouves que je ne suis pas claire? Tu as bien raison! Laisse-moi te raconter...

Ce soir, après le souper, je suis allée jouer chez Laurie, ma MAPLV. Ne me dis pas que tu as oublié ce que ça signifie, je te l'ai expliqué des dizaines de fois, cher carnet! J'ai donc joué chez ma Meilleure Amie Pour La Vie un bon moment. On s'est bien amusées, puis l'heure du départ est arrivée.

Je reviens chez moi. J'ouvre la porte et je crie :

– Je suis là ! ! !

Rien. Aucune réaction. D'habitude, quand je rentre à la maison, papa vient me dire bonjour. Ou maman m'accueille en souriant. Ou Sherlock le chat se frotte sur mes mollets. Ou mon adorable petit frère vient baver sur mes chaussures.

Ce n'est pas pour mal faire, NB, mon pauvre Charles-B a des dents qui poussent et il laisse sa trace un peu partout, ces jours-ci.

Quant à mon grand frère, Victor-Étienne, est-ce nécessaire de préciser qu'il n'a aucune réaction quand je rentre, ni à aucun autre moment, d'ailleurs ?

Il reste assis devant la télévision et il engouffre des rangées de biscuits aux pépites de chocolat les unes après les autres. Si je suis vraiment chanceuse et que Victor-Étienne est dans une très bonne journée, il arrive qu'il grommelle, quand je passe près de lui:

– S'lu.

En langage de grand frère ado la bouche pleine de biscuits, ça signifie «Salut».

Bref, je rentre, je crie que je suis de retour et personne ne répond. Bizarre. Je sais déjà que papa n'est pas là, sa voiture n'était pas dans l'entrée. Je suis une détective, quand même. Je suis forte en déductions. Je vais au salon. Comme prévu, Victor-Étienne s'y trouve et ne me dit pas un mot. Il est dans une mauvaise journée, j'imagine. Je continue mon chemin et j'entends des voix et des éclats de rire venant de la chambre de mes parents.

C'est là que je découvre ma mère, de même que mon petit Charles-B d'amour et Sherlock.

> Pas étonnant, ces deux-là ne se quittent jamais.
> Si tu trouves Charles-B, tu sais que Sherlock est tout près. Si tu vois Sherlock, Charles-B va arriver!

Je ne sais pas ce qui se passe ici, NB, mais on dirait qu'une tornade est passée dans la pièce! Et je n'exagère pas! Il y a des vêtements partout. Partout, partout, partout. Le garde-robe est vide. Les tiroirs des commodes sont ouverts. Des piles de vêtements recouvrent le lit. Je demande à ma mère:

– On s'est fait cambrioler ?

– Pas du tout ! J'ai décidé de faire un grand ménage ! Nous gardons bien trop de choses qui ne servent jamais. Surtout ton père... Tu le connais ! Il est incapable de jeter quoi que ce soit ! Je fais le tri.

Sherlock passe entre mes jambes à toute vitesse. Il porte une cravate

rayée. Charles-B court derrière le chat pour lui poser une casquette sur la tête. Mon adorable frère rit aux éclats. Je me penche vers lui.

– Il est trop mignon, le petit Charles-B ! C'est à qui, le bébé ? C'est à Marie-P ?

Il passe ses bras autour de moi et me donne plein de bisous dans le cou. Puis, il se remet à trottiner aussi vite que ses courtes jambes le lui permettent vers Sherlock, qui a sauté sur le lit et s'est caché sous une veste de cuir noire. Charles-B jette la veste par terre et réussit à mettre la casquette sur la tête de notre chat. Il sourit, ravi.

Sherlock ne gronde pas, mais il est loin de ronronner. La casquette et la cravate rayée ne lui plaisent pas trop, visiblement.

Je ramasse la veste de cuir et je la regarde attentivement. À l'intérieur, sur le col, il y a une étiquette qui ne semble pas toute jeune.

Je dis à ma mère :

– Je n'ai jamais vu cette veste avant. C'est à toi ?

– Non, à ton père.

– Il l'a déjà portée ?

– Jamais. Pas une seule fois.

J'enfile la veste. Elle est bien trop grande pour moi. Mais il se passe quelque chose d'étrange. J'ai l'impression que de petites étoiles se mettent à tourbillonner autour de ma tête. Hum... je suis troublée. Ça me rappelle quelque chose. Je demande :

– Pourquoi il la garde, s'il ne la met pas ?

– Elle appartenait à ton grand-père.

– Celui qui était détective ?

– Mais oui. Gervais, le père de ton père.

Ah ! Tout s'explique ! Je comprends maintenant les initiales « GP » sur l'étiquette et les étoiles qui tourbillonnent, comme quand je porte le chapeau de détective de grand-papa !

Ma mère continue :

– Ton grand-père adorait cette veste. Il la portait tout le temps. C'était son vêtement préféré.

Dommage que la veste soit si grande. Je l'aime bien. Et je me sens encore plus près de mon grand-père quand je l'ai. Mais elle ne m'ira pas avant des années.

– Tu ne vas pas la donner, celle-là, hein, maman ?

Ma mère m'adresse un sourire rassurant.

– Bien sûr que non ! Ton père m'en voudrait beaucoup trop ! On la garde. Je vais la remettre dans le garde-robe.

Avant de retirer le manteau, je glisse mes mains dans les poches. Il n'y a rien, bien entendu. Il n'a pas servi depuis des années. Pourtant, il me semble que... Oui, je sens quelque chose. Je tâte le fond de la poche avec insistance. Il y a bel et bien un objet, que je n'arrive pas à saisir.

J'ouvre la veste et l'inspecte avec attention. Et là, tiens-toi bien, NB : je découvre une minuscule poche, toute discrète, cachée à l'intérieur. Je mets la main dans cette poche secrète et je trouve... ceci !

Tu as vu, NB ? C'est l'objet que je sentais ! Une clé. Pas une petite clé moderne et plate, toute brillante. Non, non. Dans la poche, il y avait une vieille clé, ronde et lourde, au métal tout terni. Une clé usée, qui a dû beaucoup servir. Mais servir à quoi ? C'est bien ce que je me demande... Quel mystère !

Je suis terriblement excitée, NB ! Voilà une mission parfaite pour Marie-P, détective privée. Je dois trouver à quoi servait cette clé il y a de nombreuses années. Ce soir, il est trop tard, mais dès demain matin, je m'occuperai de cette nouvelle enquête.

2
DES TENTATIVES

J'ai eu du mal à m'endormir, hier. Je pensais sans arrêt à la mystérieuse clé trouvée dans la veste de mon grand-père. Au réveil, ce matin, dès que je bondis du lit, je suis prête : je me lance dans ma nouvelle enquête. Au travail, Marie-P ! As-tu déjà entendu l'expression « trouver la clé de l'énigme », NB ? Ça signifie résoudre un mystère, trouver une solution. J'ai découvert une clé, je suis devant un mystère... il ne me reste plus maintenant qu'à trouver la clé de l'énigme !

Première étape : mener un interrogatoire. Tu ne peux pas regarder de films policiers, NB, tu n'es qu'un carnet, mais c'est toujours ainsi que les enquêteurs procèdent : ils interrogent d'abord les suspects. Dans mon cas, je ne sais pas si on peut parler de «suspects». Après tout, pour ce que j'en sais, aucun crime n'a été commis, alors personne n'est soupçonné. Laissons tomber les suspects. Disons que je recherche plutôt des témoins.

Tu me trouves trop pointilleuse pour mon choix de mots, NB? Tu sauras qu'être perfectionniste, c'est une grande qualité, pour un détective privé!

D'abord, il me faut mes accessoires de détective. C'est indispensable pour faire du bon boulot. Je coiffe mon chapeau. Comme d'habitude, aussitôt que je l'ai posé sur mes cheveux, j'ai l'impression que des étoiles se mettent à tourbillonner autour de moi. Je pense que c'est la façon de communiquer de mon grand-père. Chaque fois que ça se produit, c'est qu'il y a un mystère à résoudre... J'avais donc raison: cette clé que j'ai trouvée a bel et bien quelque chose d'intrigant !

Hum... en t-shirt, avec mes cheveux ébouriffés et mon chapeau, ça ne fait pas très sérieux. Je décide d'enfiler mon imperméable. Il est beaucoup trop grand, et comme je compte rester à l'intérieur, j'ai l'air un peu bizarre, mais tant pis. Je dois être professionnelle !

Je choisis l'une de tes pages et je note le nom des personnes qui pourraient m'aider à en savoir un peu plus sur cette clé.

Charles-B et Sherlock habitent aussi la maison, mais je ne crois pas qu'ils seront utiles pour mon enquête... Charles-B est un bébé et il ne parle pas beaucoup encore. Quant à Sherlock, eh bien... c'est un chat. Inutile d'ajouter autre chose.

Papa :

Maman :

Victor - Étienne :

Je me rends à la cuisine. C'est merveilleux ! Toutes les personnes que je souhaite interroger sont là ! Je pose la clé en plein centre de la table d'un geste décidé et je demande :

– Quelqu'un sait à quoi sert cette clé ?

Maman se contente d'un petit « Non » un peu endormi.

Papa ne répond rien et fixe mon chapeau et mon imper d'un air ahuri.

> Chez nous, NB, il est inutile de parler à mon père avant qu'il ait terminé son premier café... Maman dit qu'il n'est pas fonctionnel avant de l'avoir bu.

Victor-Étienne engouffre son pain beurre d'arachide/confiture de fraises en une seule bouchée. Vraiment très élégant. Pas un mot de sa part non

plus, évidemment. Le contraire m'aurait étonnée.

Quant à Charles-B, il est occupé à glisser en douce sous la table de gros morceaux de tartine au Nutella à Sherlock, qui ronronne de bon cœur.

Tout ça ne m'avance pas beaucoup. J'insiste :

– Vous avez déjà vu cette clé ?

Tous mes témoins font signe que non de la tête. Des témoins qui n'ont rien vu et qui ne savent rien... pas vraiment utile ! Dans les films policiers, il me semble que c'est bien plus facile !

J'ai beau réfléchir, je ne sais plus trop quelle question poser... Ce n'est pas un interrogatoire très efficace.

Je m'assois et déjeune en vitesse.

Après tout, même les grands détectives doivent manger. Dès que j'ai avalé ma dernière bouchée, je reprends le travail. Je sais ce que je dois faire : je vais inspecter la maison, pièce par pièce. Je vais finir par trouver à quoi sert cette clé, parole de Marie-P !

Je commence par faire le tour du salon, à la recherche d'une serrure. Rien sur le divan, ni sur les fauteuils, ni sur les tablettes du meuble de rangement de la télévision. Tout à coup, mon regard est attiré par le vieux secrétaire en bois. Bingo ! Sur le tiroir, il y a bel et bien une serrure.

En plus, le meuble semble vraiment usé. Il est sûrement vieux de plusieurs années, comme la clé que j'ai trouvée.

Je m'approche du secrétaire, un peu énervée. J'essaie d'introduire la clé dans la serrure… mais ça ne fonctionne pas du tout. La clé est beaucoup trop grosse. Je pousse un soupir déçu. Derrière moi, j'entends Victor-Étienne ricaner. Je me retourne. Mon frère est de retour à son endroit préféré: écrasé sur le divan, devant la télévision. Il a terminé son déjeuner il y a environ cinq minutes et il doit déjà en être à sa deuxième rangée de biscuits aux pépites de chocolat. Décourageant.

L'exercice le plus intense que fait mon frère dans une journée, NB, c'est de marcher de la table de la cuisine jusqu'au divan…

La bouche pleine, Victor-Étienne grogne gentiment:

– Jette-la! Tu vois bien que ta clé ne sert à rien!

Quand je dis qu'il « grogne gentiment », tu comprends que c'est de l'ironie, pas vrai, NB ? Je ne me souviens pas d'avoir déjà entendu Victor-Étienne parler *gentiment*... Il est hors de question que je jette ma clé. Je l'ai trouvée dans la maison, elle y a sûrement une utilité. Je ne prends même pas la peine de répondre à mon ado de frère et je quitte la pièce. Je me rends dans la chambre de mes parents.

Une seule serrure en vue : celle du petit coffret à bijoux de ma mère. Sans trop y croire, j'approche la clé, mais je vois vite que ça ne marche pas : la clé est à peu près quatre fois plus grosse que la serrure !

Nouveau soupir déçu. Mais je ne renonce pas. J'examine ma chambre attentivement. Aucune serrure. Dans la chambre de Charles-B, il y en a une seule, sur le dessus de son coffre à jouets en forme de coffre au trésor de pirate, mais c'est une fausse serrure, en plastique. Je vais ensuite dans la chambre de Victor-Étienne. Je l'inspecte à toute vitesse. Je ne veux surtout pas me faire prendre : mon grand frère devient de très, très mauvaise humeur quand quelqu'un entre dans sa chambre sans sa permission. S'il me voit ici, je ne serais pas surprise qu'il me jette dehors. Ou même, qu'il appelle la police et dépose une plainte contre moi.

> Tu penses que
> j'exagère, NB?
> On voit que tu ne connais
> pas bien mon frère!

Je n'arrête pas de pousser des soupirs en continuant ma fouille de la maison. Mais aucune de mes tentatives ne fonctionne. Je scrute la salle de bain, la cuisine, le bureau... rien, rien, rien et encore rien !

Je ne suis pas fière de moi, mais je songe sérieusement à abandonner. Après tout, ce n'est pas très grave si je ne trouve pas l'utilité de cette clé...

Je retourne dans ma chambre, la mine basse. Non, NB, ça ne signifie pas que j'ai un crayon dans les mains et que la mine est dirigée vers le bas... Laisse-moi t'expliquer :

AVOIR LA MINE BASSE : avoir l'air abattu, découragé. **Petit Robert**

En passant devant ma commode, je lance un œil vers la photo de mon grand-père. Est-ce que je me fais des idées ? Il me semble qu'il sourit moins que d'habitude... qu'il me regarde d'un air sévère.

Je me reprends aussitôt. Franchement, quelle idée d'abandonner mon enquête à la première difficulté ! Mon grand-père a raison d'être déçu. Pas question de laisser tomber aussi vite. Je pense que j'ai seulement besoin d'une petite pause. Je dois me remonter le moral... et je sais exactement ce qui réussit à me rendre le sourire chaque fois. Tu as deviné, NB ? Bien sûr ! Les biscuits au triple chocolat de madame Lucia !

3
UN TUYAU

J'aime beaucoup aller chez madame Lucia. Je l'ai rencontrée au cours d'une enquête où je cherchais une photo égarée. Elle habite près de chez moi, toute seule, elle est assez âgée et elle s'ennuie parfois. Elle prend toujours le temps d'écouter TOUTES mes histoires. Contrairement à mes parents, elle ne semble jamais pressée par l'épicerie, le travail, la lessive, les appels à faire, les messages à prendre à l'ordi, etc. Quand j'ai peur de l'embêter avec mes visites, madame Lucia me rassure :

– J'ai tout mon temps !

Bref, je l'adore. En plus, elle fait les meilleurs biscuits au triple chocolat du monde, ce qui rend mes visites encore plus agréables!

Après toutes mes tentatives ratées pour trouver une serrure, je me rends donc chez madame Lucia. Je frappe à la porte.

– Marie-P! Quelle bonne surprise! Entre! Je viens juste de faire des biscuits, ils sont encore chauds... Tu en veux?

C'est comme me demander si je veux des vacances, du soleil, de la crème glacée ou des bisous de Charles-B! Bien sûr que j'en veux!!!

Mais pour ne pas que madame Lucia pense que je ne viens la voir que pour ses biscuits, et aussi pour éviter d'avoir l'air trop gourmande, je réponds poliment :

– Je n'ai pas très faim, je viens juste de déjeuner, mais j'en prendrais bien un.

Je m'assois à table, je mange mon biscuit, puis je commence à raconter à madame 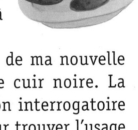 Lucia tous les détails de ma nouvelle enquête. La veste de cuir noire. La clé dans la poche. Mon interrogatoire inutile. Mes essais pour trouver l'usage de la clé. Je finis mon résumé en lui montrant la grosse clé, ronde et lourde, que j'ai pris soin d'apporter. Elle s'exclame :

– Oh ! C'est drôle, ça me rappelle une clé que j'avais quand j'étais jeune, il y a des dizaines d'années...

Elle s'arrête, semble réfléchir, puis elle me demande :

– Tu veux un tuyau, Marie-P ?

Oh là là... Ma mère m'a dit que certaines personnes, en vieillissant, commencent à être un peu mêlées dans leurs idées... J'ai bien peur que madame Lucia soit rendue là. Un tuyau ! Qu'est-ce que je ferais avec un tuyau ? Je réponds de ma voix la plus douce :

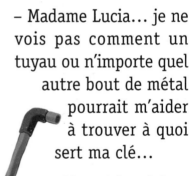

– Madame Lucia... je ne vois pas comment un tuyau ou n'importe quel autre bout de métal pourrait m'aider à trouver à quoi sert ma clé...

Ma voisine éclate d'un grand rire.

– C'est une expression, Marie-P !
Donner un tuyau, ça veut dire donner
un conseil, un indice.

Ouf !
Je suis rassurée,
NB ! Madame Lucia a
bel et bien toute
sa tête !

Elle reprend d'un ton malicieux :

– Alors, tu veux un tuyau ?

– Bien sûr !

– Qu'est-ce qui te fait penser que
la clé peut servir quelque part dans ta
maison ?

– Eh bien… c'est là que je l'ai trouvée.
Dans la chambre de mes parents.

Je ne peux pas résister, je prends un deuxième biscuit, pendant que madame Lucia continue :

– Si je comprends bien, elle était dans la poche d'une veste que ton père n'a jamais portée, c'est ça ?

Je fais oui de la tête. Elle ajoute :

– S'il ne l'a jamais mise, la clé n'est sûrement pas à lui...

Je fais non de la tête. Ma voisine conclut :

– Voilà mon tuyau : d'après moi, cette clé devait appartenir à ton grand-père. Si c'est lui qui portait cette veste, c'est lui qui a dû cacher la clé dans la petite poche intérieure.

Mais oui! Bien sûr! Elle a tout à fait raison. Je m'en veux de ne pas y avoir pensé toute seule! Voilà pourquoi personne chez moi n'avait jamais vu la clé... C'est étrange, je sens de petits picotements dans mon dos. Comme lorsque je mets le chapeau de mon grand-père et que les étoiles se mettent à tourbillonner! Pourtant, je n'ai ni mon chapeau de détective ni mon imper... Je t'assure, NB, il y a de la magie dans l'air!

– Comme je te disais, poursuit madame Lucia, elle ressemble à une clé que j'avais à l'âge de 15 ou 16 ans. Ce ne serait pas étonnant que ta clé date de plusieurs années.

Je souris toute seule. Je me demande à quoi ressemblait madame Lucia, plus jeune. J'ai du mal à l'imaginer... Passait-elle ses soirées à la bibliothèque? Ou à la discothèque? Sautait-elle à la corde à danser? À quoi lui servait cette clé dont elle me parle? Tiens, tiens! Ça me donne une idée! Si j'apprends à quoi servait la clé de madame Lucia, je saurai mieux où chercher la serrure pour celle que j'ai trouvée! Aussitôt, je lui pose la question.

– Avez-vous toujours cette clé, madame Lucia?

– Non, je l'ai perdue, mais moi, j'ai toujours la serrure! Le contraire de toi!

Madame Lucia se lève. Elle va dans sa chambre. J'en profite pour grignoter discrètement un troisième biscuit. Je

 sais, c'est beaucoup, trois! Mais ils sont tout petits, NB, je t'assure!

Madame Lucia revient avec un vieux coffret en bois qu'elle dépose devant moi. Elle m'explique:

– Ma clé servait à ouvrir ce coffre.

– Vous y mettiez votre argent? Vos objets précieux? Vos bijoux?

Ma voisine sourit. Les yeux rêveurs, elle répond :

– Pas du tout. J'y conservais des lettres d'amour.

Je suis complètement perdue, NB! Pourquoi mettre des lettres d'amour sous clé? Qui voudrait bien voler ça?

Madame Lucia m'explique qu'elle avait un amoureux, quand elle était jeune, et qu'elle l'aimait beaucoup, beaucoup. Ils rêvaient de se marier… Ils avaient acheté deux coffrets en bois exactement pareils pour y cacher les longues lettres qu'ils s'écrivaient.

Je demande :

– Il est devenu votre mari ?

Elle soupire :

– Eh non… Un jour, mes parents m'ont annoncé que nous déménagions en France. J'ai pleuré des jours et des jours, mais je n'avais pas le choix. J'étais jeune, j'ai dû les suivre.

Madame Lucia semble tout émue. Je ne veux pas la brusquer, mais j'ai bien envie de savoir la suite. J'attends quelques secondes, le temps de dévorer un quatrième biscuit, puis je l'interroge :

– L'avez-vous revu ?

– Non. Jamais. On s'est écrit au début, puis peu à peu, on a arrêté... Ce n'était pas comme aujourd'hui. Il n'y avait pas d'ordinateurs, il fallait écrire à la main et les lettres mettaient des semaines à se rendre...

Elle secoue la tête, comme pour chasser de vieux souvenirs tristes, et elle conclut :

– Quand je suis revenue de France, six ans plus tard, j'ai appris qu'il était marié depuis quelques mois. Je n'ai jamais essayé de le revoir pour ne pas briser son mariage. Il n'a probablement même pas su que j'étais de retour.

Nous gardons le silence un moment. Ma voisine est perdue dans ses pensées, moi, je savoure un cinquième biscuit.

Chut!
Ne dis rien, NB!
C'est mon dernier,
promis, juré!

Madame Lucia reprend son petit coffre tout doucement. Je comprends que, pour elle, ces lettres sont le plus précieux des trésors.

Je regarde attentivement le coffret dans ses bras et la clé posée sur la table. Le coffret, la clé. Le coffret, la clé... Soudain, il me vient une idée. Vite, à la maison, NB!

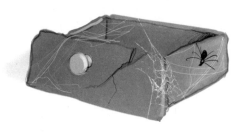

4
UN TIROIR

J e rentre chez moi en courant. J'ouvre la porte et je crie :

– Je suis là !!!

Rien. Aucune réaction. Décidément, les bonnes habitudes se perdent, dans cette maison. J'aimerais bien un accueil un peu plus chaleureux... Finalement, Sherlock vient se frotter sur mes mollets en ronronnant. Je murmure :

– Bon, quand même... C'est rassurant de savoir que toi, au moins, tu es content de me voir.

Je me dirige vers le salon. Victor-Étienne est là, comme d'habitude. Il ne lève même pas les yeux quand je passe. De toute façon, ce n'est pas lui que je cherche.

Je repense à la phrase que m'a dite ma mère, hier, en parlant de mon père : « Il est incapable de jeter quoi que ce soit ». Je dois absolument lui parler.

Je vais dans la cuisine. Il n'y a personne, mais un bout de papier m'attend sur la table :

> Je suis au parc avec
> Charles-Brillant,
> Marie-Paillette. Viens
> nous rejoindre
> si tu veux.
>
> Maman xx

J'aimerais aller au parc avec mon adorable petit frère, mais j'ai des choses plus importantes à régler avant... Je me rends dans le bureau de travail de mon père. Il est là, très concentré, penché sur des papiers. Je murmure :

– Papa ?...

Il lève la tête, surpris.

– Oui ?

– Est-ce que tu as gardé de vieux objets appartenant à ton père ?

Il sourit.

– Bien sûr ! J'en ai plein ! Tu me connais, j'ai du mal à me débarrasser de quoi que ce soit... Cherches-tu quelque chose en particulier ?

– Aurais-tu par hasard un coffret de bois, qui ferme à clé ?

Papa semble étonné. Il fronce les sourcils, réfléchit quelques secondes.

– Hum... Il me semble en effet avoir déjà vu ça. Oui, ton grand-père avait un coffret. Mais je ne sais pas ce qu'il contenait, je n'ai jamais déniché la clé. J'ai dû le mettre au grenier.

Mon petit cœur se met à battre vite, vite. Je sens que je m'approche, je vais peut-être trouver la clé de l'énigme... Le grenier! J'aurais dû y penser! Quand on cherche quelque chose de vieux, chez nous, il y a deux endroits où on a de bonnes chances de le trouver: dans le grenier ou sous le lit de mon grand frère.

Non, NB, Victor-Étienne ne collectionne pas les antiquités, c'est juste qu'il laisse traîner n'importe quoi sous son lit. Dans sa langue de grand frère ado, le mot «ménage» n'existe pas!

Mon père s'est déjà remis au travail. Je n'ai pas beaucoup d'espoir, mais je demande :

— Papa... veux-tu venir au grenier avec moi ?

— Désolé, ma grande, je suis occupé. J'ai du boulot. Tantôt, peut-être.

Je ne peux pas attendre. J'ai bien trop hâte de voir si le coffret va avec la clé que j'ai trouvée... En même temps, je n'ai pas très envie d'aller au grenier toute seule. Je t'en ai déjà parlé, NB, je déteste le grenier. C'est noir, poussiéreux, avec des toiles d'araignée partout, partout.

En plus, il n'y a pas d'électricité, au grenier. Et pas de fenêtre non plus. Il y fait toujours noir. Mais ce n'est pas le temps d'avoir peur... Tant pis, je dois prendre mon courage à deux mains. Pas question de reculer. Je vais chercher ma lampe de poche et je monte l'escalier qui mène au grenier. Allez, Marie-P !

Voilà. J'y suis. J'entre dans la grande pièce lugubre. Grâce au faisceau de ma lampe de poche, je vois des piles de boîtes, des meubles, des draps... Oh là là ! C'est effrayant, tout ça ! Mon imagination me joue des tours ! Chaque drap ressemble à un fantôme... Et j'ai l'impression d'entendre des bruits étranges dans les boîtes. Je l'admets, NB, je suis un peu effrayée... Mais je ne veux pas abandonner.

Je commence mes recherches. J'ouvre toutes les malles. Je soulève les couvertures.

Je suis contente qu'il fasse noir, après tout : ça m'évite de voir les araignées et les autres créatures que j'imagine en train de trottiner près de mes pieds.

Je fouille minutieusement les lieux. Pour le moment, aucune découverte intéressante. Rien à signaler. À part la poussière qui me fait éternuer.

– Atchoum !

À chaque boîte que j'ouvre, j'éternue davantage.

– Atchoum ! Atchoum !

Je suis un peu découragée… Je ne vois rien qui ressemble à un coffre en bois. Je devrais peut-être sortir d'ici… Je commence à perdre espoir de trouver quoi que ce soit. Et si je retournais chez madame Lucia manger un ou deux biscuits ? Ou peut-être plutôt trois ou quatre, pourquoi pas ?

Tu peux bien te moquer de moi, cher NB ! C'est parce que tu n'as jamais goûté à ces merveilles !

J'avance de quelques pas. Là-bas, au fond, il me semble distinguer, dans la lueur de ma lampe de poche, une vieille commode. C'est un des seuls endroits où je n'ai pas regardé. Je m'approche. Devant moi, trois grands tiroirs. Je tire sur le premier pour l'ouvrir. Ouf! Pas facile! Je dépose ma lampe de poche, je tire de mes deux mains et... vlan! Le tiroir s'ouvre enfin, mais je me retrouve sur les fesses, dans la poussière.

– Atchoum! Atchoum! Atchoum!

Il n'y a pas à dire, c'est difficile, le métier de détective! Je me relève et j'inspecte le contenu du tiroir. Rien de bien intéressant. De vieux livres, des cahiers, une montre qui ne marche plus, une paire de lunettes.

Je tire sur le second tiroir de toutes mes forces. Il s'ouvre beaucoup plus facilement. Je me penche pour voir ce qui s'y trouve et... quel choc! Mon cœur fait des bonds de kangourou, NB! Dans

le tiroir, il y a un coffret de bois qui ressemble beaucoup à celui de madame Lucia.

Je le prends. Je m'assois par terre, je dépose ma lampe de poche sur le plancher, à mes côtés. J'essaie d'ouvrir le coffret, mais c'est impossible. Il est verrouillé. D'une main un peu tremblante, je saisis la clé dans ma poche. Je l'introduis dans la serrure et... clic. Tout doucement, facilement, le coffre s'ouvre. J'ai découvert à quoi servait la clé.

Je soulève le couvercle de bois pour savoir quel trésor mon grand-père gardait sous clé et quand je vois ce qui s'y trouve... j'en perds le souffle, NB! Je n'arrive pas à y croire!

5
UN TRÉSOR

Je pense que mon cœur n'a jamais battu si fort, NB! Je referme le coffre de bois que je viens de découvrir dans la commode et je quitte le grenier en faisant quelques derniers «Atchoum!» Je retraverse la maison au pas de course. Maman et Charles-B ne sont pas encore rentrés. Papa est toujours dans son bureau. Sherlock dort sur le rebord d'une fenêtre, en plein soleil. Quant à Victor-Étienne, devine ce qu'il fait? Facile! Il mange des biscuits, affalé sur le divan.

Le coffret de bois bien serré entre mes bras, la clé dans ma poche, je reprends le chemin pour me rendre chez madame Lucia. Je crois que, de toute ma vie, je n'ai jamais couru aussi vite. Enfin, j'arrive à la rue des Marguerites.

RUE DES MARGUERITES

Je cogne très, très fort à la porte. Aussitôt que madame Lucia ouvre, je me précipite vers la table de la cuisine. J'y dépose le coffre. Il y a une assiette de biscuits sur la table, mais je la regarde à peine. Je ne prends aucun biscuit. Madame Lucia comprend tout de suite que l'heure est grave. Si je peux résister à ses biscuits au triple chocolat, c'est qu'il se passe quelque chose d'important. Elle demande :

– Ça va, Marie-P ?

Je ne réponds pas à sa question. Je dis plutôt :

– J'ai trouvé à quoi servait la clé. Venez voir.

Ma voisine s'approche de la table. Elle prend enfin le temps d'observer le coffre de bois que j'ai apporté. Il me semble qu'elle blêmit un peu. Elle tend la main vers le coffre en balbutiant :

– Mais... mais... il est identique au...

Je lui coupe la parole. L'heure n'est pas à la politesse !

– Identique au vôtre, oui. Pareil, pareil.

Je lui tends la clé.

– Ouvrez-le, madame Lucia...

Sa main tremble. Elle réussit à tourner la clé dans la serrure et ouvre le coffre.

Il est plein de lettres. Bondé de vieilles enveloppes.

Tu comprends, NB? Aux yeux de madame Lucia, j'ai trouvé le plus précieux des trésors!

De grosses larmes roulent sur les joues de la vieille dame. Elle murmure :

– Gervais est... euh... ton grand-père était Gervais ? Je ne savais même pas que ton nom de famille était Paré !

Elle prend les lettres dans ses mains tout doucement, comme s'il s'agissait d'un petit animal fragile, et elle dit :

– Il les a toutes gardées...

Sur chaque enveloppe, on peut lire ceci:

Gervais Paré
200, rue du Faubourg
Québec, Canada

Et au verso, le nom de l'expéditeur est écrit:

Lucia Lortie, 18, rue du Moulin
Liancourt, France

Le mystérieux amoureux que madame Lucia n'a jamais revu... c'était mon grand-père! Madame Lucia se tourne vers moi. Elle ne pleure plus, mais elle semble très émue. Elle m'adresse le plus doux des sourires.

– Tu ne peux pas savoir quel cadeau tu me fais, Marie-P... Est-ce que je peux garder le coffre un jour ou deux ? J'aimerais relire mes lettres. Si tu veux bien me laisser ta clé aussi, j'arriverai peut-être à ouvrir mon coffret. J'avais perdu ma clé, mais comme ils étaient identiques... Tu imagines ! Après toutes ces années...

J'accepte, bien entendu. Je laisse ma voisine à ses souvenirs. Je quitte sa maison en prenant au passage deux biscuits au triple chocolat. Je les ai bien mérités, après toutes ces émotions !

Je retourne chez moi et je vais dans ma chambre pour écrire mon aventure dans tes pages, cher NB. Je mets mon chapeau de détective sur ma tête. Aussitôt, il me semble que des dizaines de petits cœurs tourbillonnent autour de moi. Je regarde la photo de mon grand-père, posée sur ma commode : son sourire est immense. Plus grand que d'habitude, j'en suis certaine ! Et ses yeux pétillent !

Je suis très heureuse. J'ai réussi mon enquête, j'ai trouvé la clé de l'énigme, mais en plus, j'ai l'impression d'avoir une nouvelle grand-maman... J'ai toujours eu du plaisir à visiter madame Lucia, mais je sens que j'en aurai encore plus maintenant. On pourra parler de mon grand-père ensemble... et je mangerai autant de biscuits au triple chocolat que je le veux. Ce n'est pas le bonheur, ça ?

LES AVENTURES DE MARIE-P

Auteure: Martine Latulippe
Illustrateur: Fabrice Boulanger

1. Chapeau, Marie-P!
2. Au boulot, Marie-P!
3. Au voleur, Marie-P!
4. Au secours, Marie-P!
5. À toi de jouer, Marie-P!
6. Pas de panique, Marie-P!
7. Mystère chez Marie-P
8. À l'aide, Marie-P!
9. Attache ta tuque, Marie-P!
10. Trouve la clé, Marie-P!

www.mariepdetective.ca

Marine Latulippe a aussi écrit aux éditions FouLire:

- L'Alphabet sur mille pattes - Série la Classe de madame Zoé
- La Joyeuse maison hantée - Série Mouk le monstre
- Émilie-Rose
- Collection MiniKetto - Une plume pour Pénélope
- La Bande des Quatre

MARQUIS

Québec, Canada

Achevé d'imprimer le 18 juin 2015

RECYCLÉ
Papier fait à partir
de matériaux recyclés
FSC® C103567

Imprimé sur du papier Enviro 100% postconsommation
traité sans chlore, accrédité ÉcoLogo et fait à partir de biogaz.